KB096298

여러분이 지금 보고 계시는 것은

이 책의 첫 페이지입니다.

페이지를 보면 주름이 깊게 패이지.

(헛소리입니다)

아 이런 벌써 졸업이라니

발 행 | 2024년 3월 12일
저 자 | 안영진
표지 디자인 | 안영진
편집 | 안영진
펴낸이 | 한건희
펴낸곳 | 주식회사 부크크
출판사등록 | 2014.07.15.(제2014-16호)
주 소 | 서울특별시 금천구 가산디지털1로 119 SK트윈타워 A동 305호
전 화 | 1670-8316
이메일 | info@bookk.co.kr

ISBN | 979-11-410-7614-6

표지 글꼴: 예스명조, 카페 24 당당해, 어비 남소영, 빙그레체 II

내지 글꼴: 예스체, Source Han Sans K, 이롭게바탕체, 나눔명조, 남양주고딕,
Spoqa Han Sans Neo, 조선신명조, 조선굵은고딕, KBIZ 한마음 고딕

이 책 내지에는 제주특별자치도에서 제공한 제주고딕을 사용했습니다.
이 책 표지에는 마포구청에서 제공한 Mapo 금빛나루 글꼴을 사용했습니다.

www.bookk.co.kr
ⓒ 안영진 2024

어느 곳이 됐든 졸업하는 모든 이들에게

목차

2장 나는 CCC 순장이다

3장 나는 안영진이다

들어가는 말

원래 이 책의 제목을 〈졸업은 끝이 아니니까〉라고 하려고 했다. 그런데 내가 양치질을 하다가 〈아 이런 벌써 졸업이라니〉가 더 낫겠다는 생각이 들었다. 이건 내 세 번째 앨범의 타이틀 곡 〈졸업이라니〉의 후렴구 가사다. 이 책은 내가 대학에 4년 동안 있었던 시절에 대한 기록이다. 나는 이때까지 특정 시절에 대한 책들을 써왔다. 초등학교와 중학교 시절 얘기는 〈초딩과 중딩〉, 고등학교 얘기는 〈우당탕탕 남고〉, 군대 얘기는 〈군대에서 세계일주〉. 이제 대학 시절 얘기가 세상에 책으로 나올 차례다. 그래서 이 책이 나왔다. 책을 계속 쓰다 보니 이 책이 열 번째 책이 됐다. 아무튼 재밌게 읽어주길 바란다.

저자 소개에 나와 있듯이 나는 2018년 2월,
동서대 방송영상학과로 입학했다.

1장

___

나는 방송영상학과다

개소리

내가 동서대에 입학하기 전, 미디어커뮤니케이션학부 면접
보러 갔을 때 거기 있던 선배가 이렇게 말했다.
"여러분, 영상이 어려워 보이지만 학교 와서 회의할 때 개소
리 하나씩 던지다 보면 좋은 게 나와요."

멍멍!!

피자

이 페이지를 읽기 전에 먼저 눈물 닦을 휴지를 준비하는 걸 추천한다. 휴지가 없는 채로 이 글을 읽으면 휴지 대신 이 페이지가 눈물로 젖을 테니까.

때는 2018년 4월 말, 1학년 1학기 중간고사가 끝나고 학교에서 체육대회를 하는 날이었다. 나는 줄다리기에 출전해야 해서 학교로 갔다. 점심 먹을 때쯤이었다. 학부에서 피자를 시켜주면서 4인 1조로 먹으라고 했다. 유일하게 같이 밥 먹던 친구는 그 날 안 와서 같이 먹을 사람 없는데 큰일 났다고 생각했다. 예상대로 나는 혼자 남겨졌다. 씁쓸한 마음에 눈물이 흐르려고 하는데 한 여자애가 나한테 말했다. "같이 드실래요?" 나는 아직도 그 따뜻한 한마디를 잊을 수 없다. 한 생명을 살린 말이었다. 그 여자애 덕분에 나는 그 조에 끼어서 피자를 먹을 수 있었다. 이름을 못 물어본 게 아쉽다.

만약 지금이라도 누군지 알게 되면 감사의 뜻으로 기프티콘 하나 쏴주고 싶다. 그때 너무 고마웠다고. 피자를 먹고 나서 오후 3시쯤, 학부에서 또 수육을 시켜준다고 했다. 수육은 3인 1조로 먹으라고 했는데 나는 그 길로 바로 집으로 튀었다. 다시는 혼자 남겨지기 싫어서였다.

등록금

방송영상학과는 한 학기 등록금이 380만원이었다. 정확하게는 379만 2천원이었다. 선배 중 한 명은 친구가 강의실에서 엎드려 자고 있는 걸 찍어서 페이스북에 올리면서 이렇게 썼다. "숙박비 400만원." 대학생 커뮤니티인 에브리타임에는 등록금 넣을 때마다 진짜 어지럽다는 게시물이 올라왔는데 깊은 공감이 되었다.

익명
08/22 09:09

나...등록금 넣을때마다 진짜 어지럽네

380만원 ㅋㅋ....

👍 0   💬 7   ☆ 0

👍 공감   ☆ 스크랩

익명3
와 비싸네 ㅋㅋㅋ 어질어질 하다...
08/22 09:37

익명5
왈ㅋㅋㅋㅋㅋㅁㅊ다

☑ 익명 댓글을 입력하세요.

장학금

1학년 때, 학교에서 하는 영어 글로벌 프로그램에 참가했었다. 이 프로그램에 참가하면 장학금을 줬는데 그 조건이 영어 시험인 CBT를 한 달에 한 번씩 치는 거였다. 나는 1학년 1학기 때 3, 4, 5월 시험은 다 치고 6월 CBT만 치면 되는 상태였다. 6월 CBT를 치는 날 나는 친구랑 치킨을 먹고 있었다. 시험 시간이 오후 1시였는데 오늘이 CBT 시험이라는 걸 까먹고 있다가 시험 치기 5분 전에 알아차렸다. CBT는 시험 시간을 지각하면 시험을 못 치게 되어 있다. 치킨 먹고 있던 곳은 학교 맨 밑에 있는 정문에서 훨씬 아래쪽에 있었고 시험 장소는 학교 맨 꼭대기에 있었다. 전력 질주해도 5분 만에 못 가는 거였다. 그래도 혹시나 해서 달렸는데 지각했다. 아, 내 장학금... 그때 담당자한테 한 번 빌어볼 걸 그랬나. 내 장학금이 날라가게 생겼는데 진짜 한 번만 봐달라고.

1학기 때 낭패를 본 기억이 있기 때문에 2학기에는 절대 장학금을 놓치지 말아야겠다고 결심했다. 9, 10, 11월 CBT를 치고 12월 CBT를 치는 날이었다. 시험 시간은 10시. 9시쯤에 학교 밑쪽에 있는 도서관에서 엎드려 잤다. 깨보니까 9시 50분이었다. 또 큰일 났다 싶었다. 시험 장소는 학교 꼭대기인데. 10분 컷을 위해서 꼭대기를 향해 달렸다. 다행히 10시까지 갈 수 있었다. 시험 치는 층까지 올라가는 엘리베이터 안에서 헉헉거리며 주저앉았던 게 생각난다. 그렇게 2학기 장학금은 건졌다. 1학기 때 놓친 장학금은 아직까지 안타까운 기억으로 남아있다.

혼밥하기

나는 대학교 가면 친구를 많이 사귈 줄 알았다. 하지만 환상은 환상일 뿐이다. 막상 대학 갔는데 학과에서 사귄 친구는 한두 명이어서 내가 주변 사람들한테 맨날 친구 없다고 징징거렸다. 그러자 사촌 형도 밥 사주러 학교까지 와주고, 교회 형이랑 누나도 밥 사주러 왔었다. 그때 참 고마웠다. 사촌 형이랑, 교회 형, 누나는 내가 왜 친구가 많이 없는지에 대해 같이 고민해줬다. 1학년 때는 학교에서 점심 때 혼자 밥 먹는 게 참 힘들었던 것 같다. 밥을 먹으러 가다가 같은 학과 애들을 마주치면 내가 피해 다녔다. 군대 갔다 와서 2학년부터는 혼자 밥 먹는 게 부끄럽지 않았다. 뻔뻔해진 건지 철이든 건지는 모르겠지만.

여러분, 혼자 밥 먹는 건
부끄러운 게 아닙니다.
자신감을 가지세요!!

학부 대표 형

내가 1학년 때 학부 대표였던 형이 있었다. 당시에 우리 학과 학생회는 비용 처리를 엄청 투명하게 했다. 1학년이 끝날 때인 2018년 12월, 학부 대표 형님은 미디어커뮤니케이션학부 1학년들을 다 불러모은 다음, 남은 회비를 다 돌려줬다. 내 기억엔 만 몇천 몇백원이었던 것 같은데 백원 단위까지 계산해서 돌려줬었다.

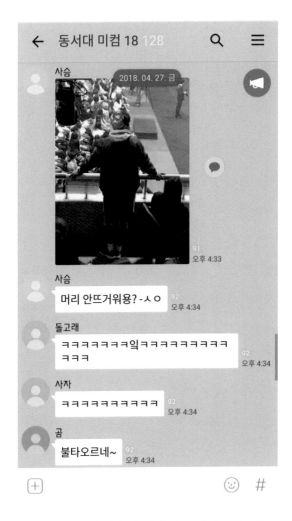

사슴
2018. 04. 27. 금

91
오후 4:33

사슴
머리 안뜨거워용? -ㅅ ㅇ
92
오후 4:34

돌고래
ㅋㅋㅋㅋㅋㅋ일ㅋㅋㅋㅋㅋㅋㅋ
ㅋㅋㅋ
92
오후 4:34

사자
ㅋㅋㅋㅋㅋㅋㅋㅋㅋ
92
오후 4:34

곰
불타오르네~
92
오후 4:34

1학년이 하는 합창대회에서 화려한 조명이 학부 대표 형의
머리를 비추고 있는 사진이다.

아니 이걸 수업 때 튼다고?

1학년 때 '미디어와 테크놀로지'라는 수업을 들었다. 교수님은 1분 이내로 자기 소개 영상을 찍어서 제출하라는 과제를 내주셨다. 따로 편집하지 말라고 하셔서 나는 어떻게 영상을 찍을까 고민했다. 그러다가 내가 랩 하는 걸 좋아하니까 랩으로 자기소개 하는 영상을 원테이크로 찍기로 했다. 그래서 다이소에서 5,000원짜리 스마트폰 삼각대를 사서 그걸로 내가 랩 하는 영상을 찍었다. 내 기억으로는 랩 영상이 너무 쪽팔려서 교수님께 영상을 제출하고 나서 바로 영상을 지웠던 것 같다. 영상들을 받아본 교수님은 수업 때 영상을 잘 만든 사람 5명을 뽑아서 그걸 틀겠다고 하셨다. 교수님은 네 번째 영상까지 트셨고, 나는 안심하고 있었다. 그런데 교수님이 다섯 번째 영상을 트는 순간, 내 목소리가 나왔다. 내가 랩으로 자기소개 하는 영상을 트신 거다. 나는 쪽팔려 죽는 줄 알았다. 교수님 어쨌든 감사드립니다?

예아 체키라웃~

교수님들

내 지도교수님은 교수 생활하신 지가 20년 가까이 되어가는데 시간을 되돌아보면 학생들도 성장하고 자신도 함께 성장한 시간이었다고 말하셨다. 다른 교수님은 자신이 처음 교수가 됐을 때 '교수가 가르치는 직업이 아니구나. 가르친다기보다는 상호작용하면서 나도 배우는 직업이구나.' 하고 깨달으셨다고 한다. 또 다른 교수님은 수업에서 '세상의 모든 지식'이라는 코너를 만드셨다. 이 코너는 학생들이 강의자가 되어서 자신이 정말 좋아하는 분야에 대해 수업을 하는 코너였다. 이 교수님은 이 코너를 설명하면서 이렇게 말하셨다.

"교수자가 강의하고 학생은 교수자로부터 지식을 듣는 입장이니 교수자가 항상 학생보다 지식에 있어서 우월하다는 생각이 대부분입니다. 하지만 어떤 분야에서는 여러분들이 저보다 훨씬 더 많이 알고 있고 제가 오히려 여러분에게 배워야 하는 그런 분야들이 너무나 많아요. 여러분들이 지금은 앉아서 수업을 듣는 학습자이지만 이 강의실을 벗어나면 여러분들이 어느 분야에서는 전문가 수준을 뛰어넘는 지식을 갖추고 있는 사람일 수 있습니다."

이 세 분의 교수님의 얘기를 들으면서 다들 대단하신 분이라는 생각이 들었다. 교수로서 가르치는 직업을 가지신 분들이 학생들의 지식을 인정하고 거기서 배우려는 자세를 가지고 계신다는 게 놀랍다.

행성 가꾸기 프로젝트

2학년 2학기에 '방송연출과 프로듀싱'이라는 수업을 들었다. 교수님은 조별로 방송 프로그램을 기획하는 과제를 내주셨다.

프로그램 기획할 때 다음과 같은 조건이 붙었다.

〈원하는 만큼의 제작비를 청구하고 집행할 수 있습니다.

원하는 캐스팅 리스트를 주시면 회사가 직접 섭외할 것입니다.

원하시는 최상의 스태프를 적극 지원합니다.

그 외에도 필요한 모든 것을 적극 지원합니다.

시청률 확보를 위한 모든 홍보는 회사가 책임집니다.

지금까지 본 적이 없는 새롭고 기발한 방송 프로그램을 기획해야 합니다.

장르와 방송시간의 제한은 없습니다.〉

우리 조끼리 어떤 프로그램을 하면 좋을까 회의를 했다. 내가 '행성 가꾸기 프로젝트' 하는 거 어떠냐는 아이디어를 냈고 그게 채택됐다. 내가 생각해도 괜찮은 아이디어였다.

〈행성 가꾸기 프로젝트〉는 참가자들이 10팀으로 나눠져서 제작진이 지정한 행성들을 가꾸는 프로그램이다. 처음에 참가자 모집과 조 편성을 한 다음 행성 배정 및 이동을 한다. 그 뒤로 순차적으로 미션을 수행하고 중간에 팀원 교체와 참가자 휴식, 그리고 다른 행성을 여행하는 프로그램이 있다. 최종 우승팀을 선정하여 상품을 전달한다. 스태프 명단은 최상의 스태프를 적극 지원한다고 했기에 진행에 유재석 이름을 넣었다. 행성 가꾸기 프로젝트 아이디어를 낸 사람이 나여서 PD에 내 이름을 넣고, 자문위원에 일론 머스크를 넣었다. 조건에 원하는 만큼의 제작비를 청구하고 집행할 수 있고, 그 외에도 필요한 모든 것을 적극 지원한다고 되어 있어서 행성 가꾸기 프로젝트 같은 거대 스케일 기획이 가능했다. 실현 가능성이 거의 없는 게 아쉽다.

스니커즈 초콜릿

촬영 담당 교수님이 스니커즈 초콜릿을 주셨다. 촬영하면서 먹으려고 스니커즈를 밖으로 들고 나갔다. 딱딱했던 스니커즈는 시간이 지나서 찰흙이 되어 있었다. 들고 나오지 말았어야 했는데. 더운 날씨에 흐물흐물해졌다.

출석 체크

고급영상편집 수업 출석체크하는데 교수님이 안영진 부르시길래 "네."라고 대답했다. 친구가 뒤에서 작게 "안녀어엉 진입니다." 하는 게 들렸다. 내 유튜브 인트로 인사말을 따라한 것이다. 진짜 웃긴 놈이네.

간지

공연 악기 세팅하는데 내가 바닥에 있는 악기 패드 보고 간지난다고 했다. 그러자 한 여자애가 이렇게 말했다.

"랩 하는 오빠가 제일 간지에요."

라인 정리

스튜디오 생방송 1팀이랑 아웃닭에서 저녁을 먹었다. 학과 누나가 말하길 한 교수님이 라인 정리 관련 수업을 개설하실 수도 있다고 했다. 여기서 말하는 라인은 마이크 선이나 음향 장비 관련 라인을 말하는 것 같다. 그렇게 계속 얘기하다가 어느 교수님 라인을 어떻게 탈 것인가에 대한 얘기가 나왔다. 친구가 그래서 라인 정리 수업이 필요하다고 하는 게 웃겼다. 타이밍 맞게 드립 던지는 애들 보면 그 센스가 탐난다.

배우의 길

2학년 때 드라마제작 수업을 들었다. 단편 드라마를 하나 찍어야 했는데 촬영 담당이었던 나는 선생님 역으로 한 번 출연했다. 최대한 제작비를 아끼려면 배우를 최소한으로 써야했기 때문이다. 담당 교수님께서 내가 연기한 영상을 보시더니 이렇게 말하셨다. "영진아, 너는 연기하지 말고 제작자의 길을 가야겠다." 그래서 제작자의 길을 걸어가려고 한다. 어차피 연기할 생각은 없었으니까.

나는 카메라 앞에 있는 것보다 카메라 뒤에 있는 걸 더 좋아한다. 이게 무슨 말이냐면, 출연보다는 연출을 더 좋아한다는 말이다. 출연을 뒤집으면 연출이 된다. 엄마는 내가 이때까지 걸어왔던 행보를 봤을 때, 출연을 더 하고 싶어하는 것 같다고 했다. 그럴 만하다. 이때까지 찍었던 영상에는 내가 출연한 게 많으니까. 하지만 나는 영상에 출연하는 것보다 카메라 뒤에서 영상을 연출하는 게 더 재밌다.

'프로도망러'라는 드라마의 한 장면으로 내가 선생님 역으로 나와서 자고 있는 학생을 혼내는 장면이다.

영상학개론

2021년 당시 코로나가 심해서 이 수업은 온라인으로 진행됐다. 카메라에 대해 잘 모르던 내가 노출 3요소인 조리개, 셔터스피드, ISO 감도에 대해 잘 배울 수 있었던 수업이다. 교수님이 한 번은 수업에서 이렇게 말하셨다.

"오늘은 심도에 대해서 심도 있게 얘기해보도록 하겠습니다."

교수님은 아마 드립을 노리셨을 거다.

디자인과 창의적 발상

이 수업도 역시 비대면으로 진행되었는데 교수님께서 디자인에 대한 흥미로운 이야기를 많이 해주셨다. 교수님이 이렇게 말하신 게 기억에 남는다.

"취미가 곧 스펙인 시대입니다."

1인미디어 콘텐츠 제작

교수님께서 재밌는 분이셨다. 내가 유튜브 채널을 만들어서 일주일에 한 개씩 영상을 올리고 있다고 하니까 이렇게 말해주셨다.

"안영진 학생이 구독자 수에 연연하지 않는다는 게 엄청 멋진 것 같아요. 구독자가 몇 명이든 일주일에 한 개씩 콘텐츠를 올리려면 어마어마한 노력을 해야 하는데 이 노력 자체가 엄청 대단한 겁니다."

미디어 엔터테인먼트

다같이 공연을 준비했던 수업이다. 전공 학점을 받으며 나의 끼를 발산할 수 있었다. 나는 공연 중에 랩을 했는데 공연이 끝나고 지도 교수님이 나한테 하셨던 말이 강렬했다.

"야, 니 쥐기더라."

그 외 수업들

교양생활영어말하기 1

외국인 교수님이 진행하시는 영어 수업이었다. 교수님이 되게 유쾌하셔서서 즐겁게 수업을 들었다.

고급영상편집

Cinema 4D라는 모션그래픽 프로그램을 배울 수 있었다. 나는 이때 배운 걸로 내 첫 번째 앨범 〈책들에게 바치는 곡〉의 타이포그래피 뮤직비디오를 만들었다.

카피라이팅

광고 카피에 대해 많은 생각을 하게 하는 수업이었다. 모든 제품에는 드라마가 담겨 있고 카피를 쓸 때 드라마가 녹아 있는 아이디어를 생각해 보라는 교수님의 말이 인상적으로 다가온다.

졸업작품

나는 졸업작품에서 촬영감독을 담당했다. 처음에 팀원들이랑 무슨 주제로 졸업작품을 찍을지 회의를 하는데 나는 드립 다큐를 찍고 싶다고 했다. 대충 예상하긴 했지만, 최종적으로 드립 다큐는 선택이 되지 않았다. 교수님께서는 나한테 소재는 좋았는데 채택 안 된 게 아쉽다고 말씀하셨다. 우리는 회의 끝에 러닝크루를 인터뷰하는 내용을 찍기로 했다. 나는 짐벌을 쓸 줄 몰랐는데 러닝크루가 달리는 모습을 흔들림 없이 찍으려면 짐벌을 무조건 써야 했다. 덕분에 첫 짐벌 촬영인데 짐벌 들고 달리는 촬영을 하게 됐다. 팀에서 카메라 두 대로 졸업작품을 촬영해야겠다는 결정을 하고 다른 팀 촬영감독인 형한테 촬영을 도와달라고 했다. 그 형이 도와주지 않았으면 아마 우리 팀 촬영은 어려웠을 거다.

러닝크루랑 같이 달리면서 촬영을 하니까 숨소리가 거칠어

졌고, 허억허억 하는 소리가 카메라에 그대로 담겼다. 그래서 편집 담당인 친구가 나한테 숨 참고 뛰라고 했다. 죽으란 소린가 ㅋㅋㅋ 누가 뭐래도 우리 팀이 최고의 팀이라는 건 부정할 수 없다. 실력 부족한 촬영감독을 보듬어준 졸업작품 팀 모두에게 감사의 인사를 전한다.

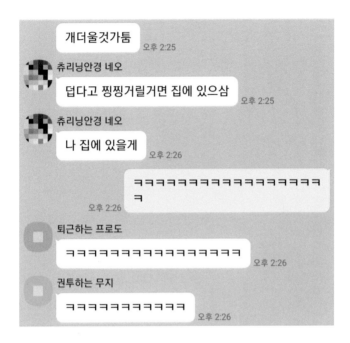

개더울것가툼
오후 2:25

츄리닝안경 네오
덥다고 찡찡거릴거면 집에 있으삼
오후 2:25

츄리닝안경 네오
나 집에 있을게
오후 2:26

ㅋㅋㅋㅋㅋㅋㅋㅋㅋㅋㅋㅋㅋㅋㅋㅋ
ㅋ
오후 2:26

퇴근하는 프로도
ㅋㅋㅋㅋㅋㅋㅋㅋㅋㅋㅋㅋㅋㅋㅋ
오후 2:26

권투하는 무지
ㅋㅋㅋㅋㅋㅋㅋㅋㅋㅋ
오후 2:26

졸업작품 팀이랑 야구 보러 가는 날이었다. 편집감독이었던 애가 덥다고 찡찡거릴 거면 집에 있으라고 하고 자기도 집에 있겠다고 한 게 웃겼다.

스페셜 인터뷰:
공모전의 전설 김태민

내가 태민이형을 알게 된 건 2학년 때였다. 군대 갔다 와서 복학하고 같은 수업을 듣는 형이 태민이형에 대해 말해줬다. 공모전의 전설이라고. 태민이형은 이미 졸업한 후였고, 나는 태민이형을 꼭 한 번 만나보고 싶었다. 그러다가 태민이형이 줌으로 하는 특강을 듣게 됐고, 나는 그걸 기회로 삼아서 인스타그램으로 태민이형한테 연락했다. 한 번 만나줄 수 있냐고. 형은 흔쾌히 허락해줬고, 나를 보면서 자기가 선배들 찾아다닐 때가 생각난다고 했다. 나는 대학 졸업할 때 쓰게 될 책에 태민이형 인터뷰를 넣었으면 좋겠다고 생각했고, 태민이형은 그것도 흔쾌히 허락해줬다. 이제 공모전의 전설 태민이형을 인터뷰한 내용을 공개한다. 두두둥!!

영진 자기소개 부탁드립니다.

태민 영상 제작을 하고 있는 95년생 14학번, 미디어콘텐츠 제작자 김태민입니다.

영진 영상을 시작하게 된 계기가 뭔가요?

태민 스무 살 때, 대학교 생활에 집중하지 못하고 방황을 많이 했어. 군대 갔다와서 대학교 2학년으로 다시 복학을 했을 때도 영상 제작의 꿈은 없었지. 그러다가 학교 선배가 찍은 아이유 밤편지 뮤직비디오 커버 영상을 하나 봤는데 그 영상미가 너무 예쁜 거야. 그래서 '어? 나도 이런 예쁜 영상을 만들고 싶다.' 생각하면서 영상을 시작하게 됐지. 그래서 '시작을 해보자. 근데 일단 내가 할 줄 아는 게 없으니까 장비라도 있어야겠다.' 해서 군대를 전역하고 복학하기 전에 모아두었던 돈으로 장비를 사는 데 다 썼어.

영진 그때 장비에 투자한 돈이 얼마인가요?

태민 소니 A7M3 카메라, 드론, 삼각대 다 사는데 합쳐서 700만원 썼던 것 같아.

영진 공모전 수상을 엄청 많이 하셨다고 들었는데 총 몇 번 수상하셨나요?

태민 70개 이상 수상했지 아마?

영진 수상 못한 공모전까지 포함하면 공모전에 총 몇 번 출품하셨나요?

태민 110번 정도 출품한 것 같아.

영진 공모전으로 총 얼마나 버셨는지 궁금합니다.

태민 총 수상 금액이 7000만원 정도 되는 것 같고 대상 수상한 게 열 개 넘는 것 같네.

영진 와 그럼 장비에 700만원 투자하고 7000만원 버셨네요.

태민 그럼 열 배네.

영진 77이네요. 혹시 공모전 수상 내역 정리해놓은 게 있으세요?

태민 자잘한 것까지는 없을 것 같은데. 대상이랑 최우수상, 우수상까지는 좀 정리를 해놓았을 수도 있고. 어느 순간부터 우수상보다 밑에 상들은 카운트를 안 해놓았더라고.

영진 공모전 꿀팁 있나요?

태민 기획에 제일 오래 투자를 하는 게 맞아. 기획이 되지 않은 상태에서는 제작을 하지 않는 것이 좋고 떨어지는 걸 생각하더라도 공모전에 많이 나가는 게 중요한 것 같아. 그렇게 해야 결국은 노하우가 생기거든. 이전 수상작들을 보는 게 중요하지. 그런데 그 수상작들이랑 비슷하게 갈려고 하진 말고 그 수상작들이 왜 수상했는지 생각을 해보면 좋은 결과를 낼 수 있지 않을까. 나도 그렇게 했었거든. 그니까 모의고사를 푸는 느낌? 작년 수상작들을 보는 게 작년의 출제 수준을 보는 그런 느낌이라서.

영진 영상을 잘 만들려면 어떤 노력을 해야 할까요?

태민 일단 자기가 찍고 싶은 거. 자기가 제일 만들고 싶어하는 걸 만들어야지. 만드는 과정을 재밌게 해서 즐거운 경험으로 만들어 버리는 게 좋아. 영상이 부족해도 그 과정이 즐거운 추억으로 남을 수 있는 거니까. 계속해서 영상을 만들 수 있는 동기를 줘야 하는 거지. 근데 그게 너무 어떤 목적성만 추구하면 결국은 스스로에 대한 불만족도 생기고 제작자로서의 흥미를 잃는 것 같아. 잘 만들려고 하면, 레퍼런스를 많이 봐야 하는 게 맞지. 촬영은 많이 해봐야 되고. 편집은 많이 봐야 되고. 연출은 많이 생각해야 하고. 이런 과정들을 가장 빠르게 배울 수 있는 건 결과적으로 레퍼런스 보는 거. 그리고 영화를 많이 본다거나 웹툰을 많이 본다거나 엄청 많은 콘텐츠들을 봐야 하지.

영진 영화나 영상을 보는 것만으로 실력에 유의미한 변화가 있을까요?

태민 실력도 엄청 많이 늘지. 왜냐면 생각을 많이 해야 하니까. 막상 보는 것만으로 끝나는 게 아니야. 일단 촬영적으로 보게 되면 나도 모르게 이런 구도가 있구나 인식하게 되지. 전공자니까. 그래서 그런 많은 것들을 보면서 '이렇게 왜 찍었을까?', '이거 예쁘게 찍었던데 이 장면처럼 찍고 싶다.' 생각하게 되고. 근데 그런 걸 보지 않으면 혼자 생각해서 찍어야 하는데 그렇게 되면 어떻게 찍어야 할지에 대한 해답이 안 나올 때가 많지.

영진 어떤 영상을 봤는데 이것처럼 찍어보고 싶어서 그렇게 찍으려고 노력하는 것도 촬영하는 데 큰 도움이 되겠네요?

태민 그렇지. 촬영은 많이 찍어봐야 된다고 말하는 이유는 촬영하다 보면 깨닫거든. '아 이거는 내가 이렇게 찍었으면 안됐구나.' 이렇게 자연스럽게 촬영하는 실력이 느는 거고. 그럼 촬영은 실력적으로 어느 수준에 도달한단 말이야. 그리고 그 이후부터는 조명이나 이런 것들이 중요해지는 거지. 물론 당연히 그런 게 같이 가야 하는 게 맞는데.

영진 영상 꿈나무들에게 한 마디 해주세요.

태민 과정이 즐거웠으면 좋겠어. 그래야 결과도 즐거우니까.

영진 이게 제일 중요한 것 같습니다. 일단 자기가 재밌어야 되니까.

태민 왜냐하면 결과는 좋지 않을 수도 있거든.

영진 2021년 6월, 후배들을 대상으로 해서 줌으로 진행했던 졸업생 특강에서 "로맨스 영화를 보는 것보다 로맨스를 해보시는 걸 추천드립니다."라고 하셨는데 이 발언에 대해 한 말씀 부탁드립니다.

태민 이건 당연한 것 말인 것 같아. 번지점프를 뛰는 영화를 만드는데 번지점프를 한 번도 안 해봤으면 너무 돌아가게 되잖아. 물론 뭐 제작은 할 수 있지만. 번지점프 해봤던 사람들을 인터뷰 해야 하고 수많은 얘기들을 들어봐야 하고. 그렇게 해야 결과물이 나올 수 있잖아. 왜냐하면 자기가 해보지 않았기 때문에. 그걸 해봤다고 하면 시간이 단축되는 거지. 번지점프를 했을 때 그런 감정을 느껴봤냐 안 느껴봤냐. 그게 중요하지. 영화감독들 보면 '이건 누가 찍었겠다.' 하는 그런 느낌이 있잖아. 왜냐하면 그 감독들이 할 수 있는 취향, 고집 그런 것들이 있는데 그게 사회적인 환경에서 형성되니까.

영진 그 감독만이 할 수 있는 그런 얘기들이 있잖아요.

태민 그게 그 분야에서만큼은 자기가 그 경험을 가지고 있기 때문이라고 생각하거든. 감정에 대한 여러 경험들을 해보면 좋을 것 같아.

영진 저는 연애 전에는 로맨스 찍으면 안 되겠네요.

태민 그런 건 아닌데. 왜냐면 영화 감독들이 '이런 로맨스를 하고 싶다. 이런 거 실현됐으면 좋겠다.' 하면서 자신의 에고 이런 걸 실현시키는 경우가 많잖아. 창작자들이 자기가 하고 싶었고 자기는 이런 걸 꿈꿔왔었는데 그걸 만들어 가야겠다 해서 시작된 경우들이 많으니까.

영진 저는 짝사랑에 대한 거는 잘 풀어낼 수 있을 것 같아요. 25년 동안 해오던 게 그거라서. 마지막 질문입니다. 대학에서 이건 좀 해봤으면 좋겠다 하는 게 있을까요?

태민 연애도 좋고, 알바도 좋은 것 같아. 사람들이 좀 많은 곳에서 알바를 해봤으면 좋겠어. 나는 다양한 사람들을 만나보고자 알바를 했거든. 서포터즈도 좋고. 대학생 때만 할 수 있는 것들이 있어. 공모전도 대학생만 참여 가능한 공모전이 있고. 그리고 지금 어떤 사람을 만나느냐에 따라 자신의 상태가 결정되니까 최대한 많은 사람들을 만나봤으면 좋겠어.

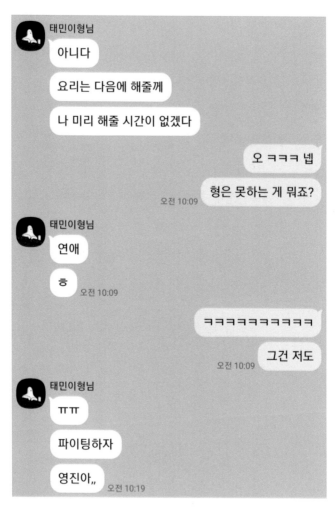

태민이형님
아니다
요리는 다음에 해줄께
나 미리 해줄 시간이 없겠다

오 ㅋㅋㅋ 넵
형은 못하는 게 뭐죠?
오전 10:09

태민이형님
연애
ㅎ 오전 10:09

ㅋㅋㅋㅋㅋㅋㅋㅋㅋ
그건 저도
오전 10:09

태민이형님
ㅠㅠ
파이팅하자
영진아,, 오전 10:19

공모전의 전설과 함께하는, 씁쓸해지는 대화다.

아니 근데 연애를
꼭 해야 하는 건가 ㅋ

CCC는 내 대학 생활에서 큰 부분을 차지한다.

그래서 CCC를 떼놓고는 내 대학 생활을 얘기할 수 없다.

2장

나는 CCC 순장이다

CCC 사전

CCC 얘기를 하기 전에 먼저 CCC 단어들을 소개하겠다. CCC에 처음 들어간 친구를 '순원'이라고 한다. 순원과 함께 순모임을 하는 사람이 '순장'이다. 순장이 순원과 함께하는 성경공부 모임을 '순모임'이라고 한다. 형제 순장이 형제를 아들로 받고, 형제 순장은 그 친구의 아빠 순장이 된다. 줄여서 아순이다. 자매 순장은 자매를 딸로 받고, 자매 순장은 그 친구의 엄마 순장이 된다. 줄여서 엄순이다.

대학생들이여~
CCC로 오라!!!

CCC에 들어가다

교회 다니는 애들이 대학교에 가게 되면 주변 어른들로부터 기독교 동아리에 들어가라는 권유를 받게 될 때가 있다. 나는 사실 처음에는 기독교 동아리에 들어갈 생각이 없었다. 기독교 동아리보다는 일반 동아리에 들어가서 대학 생활을 즐기고 싶었다. 그래서 1학년 초에 학과에 있는 영상 동아리 면접을 봤다. 하지만 보기 좋게 떨어졌다. 그렇게 계속 외로 워하던 차에, 입학식 때 CCC에서 했던 설문조사가 기억났다. 당시에 CCC에서 전화 와서 동아리 관심 있냐고 했을 때 관심 없다고 했다. 나는 다시 그 번호로 전화 걸어서 CCC 들어가고 싶다고 했고 그렇게 CCC에 들어가게 되었다. 들어가고 나서 매주 화요일에 캠퍼스 채플을 가긴 했지만 CCC 활동을 열심히 하진 않았다. 1학기가 지나고 2학기 초가 되었을 때, 학과의 다른 영상 동아리에서 추가 모집을 한다고 공지가 올라왔다. 나는 면접을 보기로 했다. 면접 보러 가는 길에, CCC 간사님과 순장님들이랑 마주쳤다. 간사님이 나보고 어디 가냐고 물어보셨다. 내가 동아리 면접 보러 간다고 하니까 간사님이 떨어지길 기도해야겠다고 했다. 그리고 떨어졌다. 간사님의 기도가 참 무섭다. 간사님의 그 기도 덕에 내가 지금까지 CCC에 남아있게 된 것이다.

정한천 간사님

CCC 얘기를 할 때는 정한천 간사님을 빼놓을 수 없다. 내가 동아리 면접 떨어지길 기도하셨던 그 간사님 맞다. 간사님은 동서대 캠퍼스 담당이셨는데 내가 CCC에 들어갔던 1학년 때부터 졸업할 때까지 계속 동서대에 계셨다. 간사님은 내가 참 리스펙하고 좋아하는 분이다. 내가 많이 흔들릴 때 믿음으로 잘 잡아주셨다. 간사님께 여러 가지를 배웠지만 세 가지가 기억에 남는다. 첫 번째로, 남에게 베푸는 자세를 배웠다. 간사님은 베푸는 걸 밥 먹듯이 하시는 분이셨다. 애들 밥 사주시고 간식 사주시고. 간사님이 무슨 돈이 있겠나. 없는 돈 털어서 우리 사주신 거지. 참 대단하신 분이다. 우리가 "간사님 좀 아끼세요."라고 하면 간사님은 그때마다 이렇게 말하셨다. "돈을 써도 돈이 없고, 안 써도 돈이 없으니까 그냥 돈 쓸래. 돈을 또 써야 채워지지 않겠어?" 두 번째는 다

같이 있을 때 대표로 하는 식사 기도는 짧게 해야 한다는 것
이다. 맛있는 음식을 앞에 두고 기도를 길게 하면 시험들 수
있다. 세 번째로, 항상 감사하는 자세를 배웠다. 간사님, 저희
에게 귀한 걸 가르쳐주셔서 감사합니다. 마음에 새기고 살겠
습니다.

TST 수련회

TST 수련회는 순원들이 순장의 삶을 살도록 하는 수련회다. TST에 가면 가족순이 생긴다. 가족순은 엄순(엄마 순장), 아순(아빠 순장), 그리고 순원들로 구성되고 이 기회를 통해 다른 캠퍼스 사람들과 친해질 수 있다. 나는 군대 전역하고 나서 2021년 2월에 순원으로 TST를 갔다. 그땐 코로나가 심해서 전면 비대면 수련회로 진행되었다. 4일 동안 하루 종일 노트북 앞에 앉아서 줌으로 수련회에 참가하는 게 힘들긴 했지만 최고의 가족순을 만나서 좋았다. 들어보면 이후로 교류가 끊어진 가족순이 있다고 들었는데 우리 가족순은 아직까지 서로 연락한다. 비대면 수련회였던 걸 생각하면 참 신기하다.

이때 순장 결단을 많이 망설였다. 내가 제대로 준비되어 있지도 않은데 순장으로써 순원들을 챙길 자신이 없었다. 하지만 TST 때 정선원 간사님이 메세지에서 하셨던 말씀이 계속 생각났다. "순장은 내가 하는 것이 아니고 하나님이 하게 하시는 겁니다. 여러분은 못합니다. 오직 하나님만이 하십니다." 이 말은 내가 순장이 되고 나서 시험에 들 때 계속 마음에 새겼던 말이다. 사실 순장의 삶이 힘들지 않았다면 거짓말이다. 주변 사람들에 대한 사랑이 많이 없는 내 모습을 발견하고 죄책감에 더 힘들었다. 그때마다 나의 힘으로 순장의 삶을 살아가는 것이 아니라 하나님이 주시는 힘으로 사는 것임을 기억하려고 했다.

2023년 TST는 교육순장으로 갔다. 교육순장으로 가면 엄순 혹은 아순이 되어서 다른 캠퍼스 순원들과 순모임을 진행한다. 형제 교육순장은 형제들과, 자매 교육순장은 자매들과 순모임을 하고 형제순과 자매순이 합쳐져 하나의 가족순이 된다. 교육순장에게 주어진 순모임 시간이 많기 때문에 한 간사님은 TST가 교육순장이 거의 끌고 가는 수련회라 해도 과언이 아니라고 하셨다. 어떤 간사님은 자기가 교육순장으로 TST 갔을 때를 이렇게 표현하셨다. "아, 천국이 이런 곳이겠구나." 그만큼 좋으셨다는 말이다. 나는 기대와 부담을 가지고 TST가 오기를 기다렸다. 2023 TST는 4박

5일 동안 전면 대면으로 진행되었다. 여기서도 좋은 가족순을 만났다. 넷째 날 새벽에 교육순장들과 함께 가족순들에게 줄 편지를 쓰던 게 생각난다.

편지를 쓰게 되면 편지를 쓰는 그 대상에 대해 최소 네 번은 생각하게 되는 것 같다. 그 사람에게 편지를 써야겠다고 생각할 때 한 번, 편지지 살 때 한 번, 편지 쓸 때 한 번, 그리고 그 사람에게 편지 줄 때 한 번. 다른 사람에게 편지 받는 것, 그리고 다른 사람에게 편지 쓰는 것. 둘 다 기분 좋은 일이다.

둘째날 아침에 체조를 하는데 내가 춥다고 하니까 아들 중 한 명이 나한테 이렇게 말했다. "순장님, 군대 갔다왔으면 원래 추위를 안 느껴야 되는 거 아닌가요?" 맞는 말이지. 그 친구 지금 군대에 있는데 휴가 나오면 추위 느끼는지 테스트 한 번 해봐야겠다.

둘째날 저녁 집회 때 기도회를 했다. 기도회가 끝나고 앞에서 무릎 꿇고 기도하던 사람들이 들어갔는데 그들이 흘린 눈물이 마르지 않고 한동안 바닥에 남아있었다. 이들이 흘린 눈물은 바닥에선 마르겠지만 하나님은 그 눈물을 기억하실 것이다.

넷째날 오전에 오픈카톡방을 만들어서 간사님들께 질문하는 시간을 가졌다. 누군가가 "CCC 안에서 이성 만남을 자제하는 분위기인데 그럼 믿음의 동역자를 어떻게 만날까요?"라는 질문을 남겼다. 그러자 어떤 간사님께서 이렇게 대답해 주셨다. "CCC에서는 총알이 딱 한 발이라는 말이 있습니다. 한 번 쏘면 그 총성이 너무 크기 때문이죠. 어떤 순장은 세 발이라고도 했습니다. 캠퍼스에서 한 발, 소속 지구에서 한 발, 전국에서 한 발." 여기서 총알을 쏘는 것은 고백을 의미할 것이다. 그 간사님은 총알을 아꼈다가 신중하게 쏴야 한다는 말도 하셨던 것 같다. 카톡방에 "이미 한 발 쐈으면 어떻게 하나요?"라는 안타까운 질문도 올라왔다. 여기에는 "화이팅하십쇼.", "불발탄." 같은 반응들이 올라오는 게 너무 웃겼다. 나는 총알을 한 발도 못 쏘고 졸업했다.

2023 TST 교육순장 명찰.

각자 어떤 순장이 되고 싶은지 포스트잇에 쓰는 시간이 있었다. 우리는 가족순끼리 가위바위보 해서 진 사람이 얼굴에 포스트잇 붙이고 찍은 셀카를 오픈카톡방에 올리기로 했다. 근데 내가 졌다.

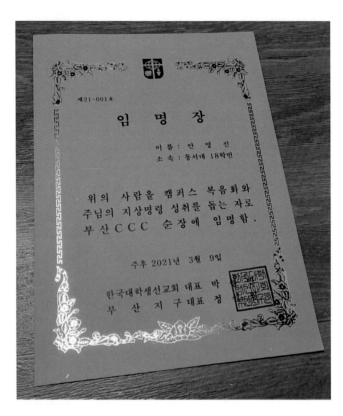

순장 임명장이다.

23학번으로 들어온 순원이 방향제를 만들어서 순장들한테 한 개씩 선물해줬는데 진짜 감동이었다. 참고로 이 친구가 지금은 순장이다.

여름수련회

내가 1학년 때인 2018년에는 한국 CCC 60주년을 맞이해서 제주도에서 여름수련회를 했다. 나는 당시 CCC에 대한 마음이 많이 없어서 안 갔다. 그때 안 간 걸 지금도 후회하고 있긴 하다. 2020년에 코로나가 터져서 2021년까지 수련회가 비대면으로 진행되었다. 2023년에는 3년 만에 전국에 있는 CCC가 모여서 여름수련회를 했다. 8천명이 모인 걸로 알고 있다. 나도 전국 수련회는 그때가 처음이었다. 비 맞으면서 찬양하고, 말씀 듣는 낭만이 있었다.

여름수련회 가보자고~

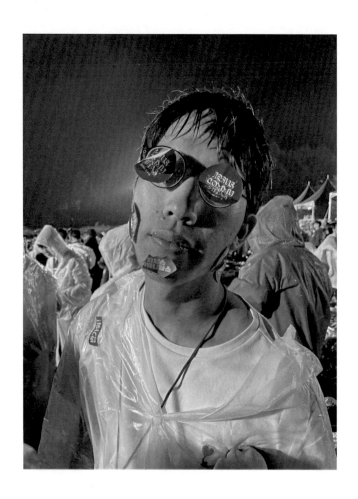

집회 때 비가 오면 우산을 쓸 수 없으니까 비옷을 입었다. 이 레전드 사진이 어쩌다가 기족순 카톡방에 공유됐다. 그 밑에 반응들이 폭발적(?)이다.

금식수련회

CCC는 매년 12월 말에 금식수련회를 한다. 나는 1학년 때 처음으로 금식수련회를 갔다. 당연히 갈 마음 1도 없었는데 어쩌다 보니 가게 되었다. 여섯 끼를 굶고 그 뒤부터 죽을 줬다. 동기가 카톡 상태 메세지에 먹고 싶은 것들을 다 써놓았던 게 웃겼던 기억이 난다. 배고파서 힘들어 죽는 줄 알았지만 은혜는 많이 받았다.

군대 갔다 와서 2020년 금식수련회는 코로나 때문에 전면 비대면으로 진행되었다. 첫째날 저녁집회 때 총순장님과 부총순장님이 순장들에게 "금식수련회가 힘든데도 불구하고 순원들에게 같이 가자고 하고 싶은 이유는 무엇인가?"라는 질문을 던졌다. 그러자 몇몇 간사님들이 "나만 굶을 순 없으니까.", "나만 당하기 싫어서."라고 대답하신 게 웃겼다. 금식수련회 마치기 전날 밤에는 항상 졸업하신 순장님들이 간식 사들고 와주셔서 캠퍼스 모임 때 맛있게 먹었다. 나도 이제 졸업생이니까 간식 사들고 가야 할 때가 되었다.

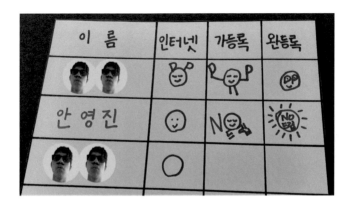

이 름	인터넷	가등록	완등록
안 영 진			

금식수련회 등록현황표다. 내가 내 이름칸에 등록했다고 O 를 그렸는데 누군가가 거기에 'NO 드립'이라고 적어놓았 다. 범인은 아마 간사님이실 것 같은데 아직 확실한 범인을 못 찾았다. 내 이름 위에는 대표순장님 이름인데 누군가가 DP(대표)라고 적어놓은 게 웃겼다.

드립 3대장

동서대 CCC에는 드립 3대장이 있었다. 안영진과 그 아들 둘이었다. 어쩌다 보니까 원래 드립 치던 애들이 내 아들들이되었다. 한 번은 나랑 아들 한 명이 여름수련회 때 같은 방을썼는데 둘이서 맨날 드립 치니까 그 방에 있던 사람들이 괴로워했다. 하지만 어쩔 수 없었다. 우리가 드립을 포기할 순없으니까. 수련회뿐만이 아니고 평소에 캠퍼스에 있을 때도내가 숨쉬듯이 드립을 쳐서 애들은 항상 나를 곱지 않은 시선으로 봤다. 하지만 역시 어쩔 수 없었다. 내가 드립을 포기할 순 없으니까. 드립을 침으로써 받는 압박은 견뎌야 하는것이다. 내가 졸업할 때 아들이 나한테 주는 롤링페이퍼에이렇게 썼다.

"CCC는 남아있는 저희들에게 맡겨두시고, 세상으로 나아가셔서 드립으로 선한 영향력을 끼치는 아순이 되기를 기도합니다!! 그리고, CCC에서 드립의 빈자리는 제가 채울 테니 드립의 공백기는 없다고 생각하셔도 될 것 같습니다."

든든하다 아들아. 걱정 없이 떠나도 되겠다.

동아리방 간식

내가 동아리방의 간식을 하도 많이 먹으니까 동기가 나 보고 일주일에 과자 한 개로 제한한다고 했다. 이거 너무 한 거 아니냐?

라이언 붕붕카를 탄 무지

당 충쩐

동방에 간식 채워뒀어용~~
오후 2:21

와 바로 달려가야겠다
오후 2:21

라이언 붕붕카를 탄 무지

하트뿌뿌 어피치에게 답장
와 바로 달려가야겠다

순장님은 제한있어요
오후 2:23

아 왜요
오후 2:24

라이언 붕붕카를 탄 무지

하트뿌뿌 어피치에게 답장
아 왜요

혼자 많이 드시면 안되니깐욧,,!!!
오후 2:24

빈털터리 제이지

영진이는.. 일주일에 하나씩입니다.
오후 2:39

큐티

CCC에서 매일 아침 큐티를 했다. 코로나 한창 심할 때는 줌으로 했는데 코로나 완전히 풀리고는 아침에 동아리방에 모여서 함께 큐티 나눔을 했다. 개강수련회 때 큐티 출석률 높은 사람에게 상을 주기도 했다. 내가 그 상장을 읽다가 웃음이 터졌다. 상장 내용에는 QT와 귀엽다는 뜻의 '큐티'를 이용한 드립이 있었기 때문이다.

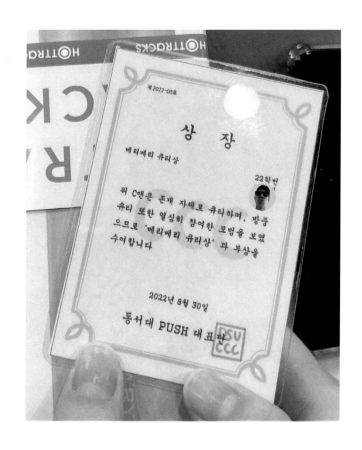

제 2022-08호

상 장

베리베리 유리상

22학번

위 C맨은 존재 자체로 유리하며, 방송 유리 또한 열심히 참여한 모범을 보였으므로 '베리베리 유리상' 과 부상을 수여합니다.

2022년 8월 30일

동서대 PUSH 대표

DSU CCC

렌즈 텀블러

같은 학부 선배 순장님이 졸업할 때 내가 렌즈 텀블러를 선물로 드렸다. 그 순장님이 렌즈 텀블러를 바닥에 놔뒀는데 강아지가 그걸 굴렸다고 한다. 그러자 어머니가 그게 진짜 렌즈인 줄 알고 이 비싼 걸 그냥 바닥에 놔두냐고 하면서 순장님을 혼내셨다고 한다.

기도제목

한 순장님이 대표순장 자리를 내려놓으면서 기도제목을 말했다.

"저는 모태신앙으로서 평생 신앙을 지키는 게 정말 어렵다고 생각하는 사람인데 제가 평생 신앙을 지킬 수 있도록 기도해주시길 바랍니다."

이건 아마 모두의 기도제목이지 않을까.

2프로

히즈윌 프로듀서인 장진숙 순장님은 경성대 CCC 출신이시다. 2021년 금식수련회 때 장진숙 순장님이 특강 오서서 자기 금식수련회 때의 얘기를 해주셨다. 2프로 음료수를 다 마신 다음 그 병에 다시 물을 부으면 0.2프로가 된다고.

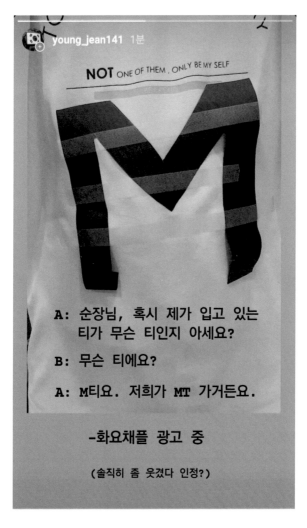

NOT ONE OF THEM . ONLY BE MY SELF

A: 순장님, 혹시 제가 입고 있는 티가 무슨 티인지 아세요?

B: 무슨 티에요?

A: M티요. 저희가 MT 가거든요.

-화요채플 광고 중

(솔직히 좀 웃겼다 인정?)

보너스 페이지다. CCC에서 MT 간다고 화요채플 때 광고했었는데 그 빌드업을 이렇게 했었다.

대표단

CCC는 캠퍼스별로 대표단을 세우는데 보통 대표순장, 부대표순장, 형제총무, 자매총무로 구성된다. 캠퍼스 규모에 따라 직책이 더 있는 캠퍼스도 있다. 형제총무와 자매총무를 보통 형총, 자총으로 줄여서 부른다. 나는 대표단이 아닌 그냥 순장일 때, 형총, 자총이 있으니까 나는 권총이라고 하고 다녔다. 그러다가 진짜 형총를 하게 되었다. 처음에는 내가 대표단을 하게 될 거라고 상상도 못했다. 하지만 2021년 6월, 간사님이 한 번 밥 먹자고 하셨다. 그때까지 눈치를 못 챘다. 밥 먹고 카페를 가서 주문을 하는데 간사님이 지금 대표단을 세우고 있다고 하셨다. 그때까지도 눈치를 못 챘다. 자리 잡고 앉은 다음 간사님이 "영진아, 내가 무슨 말 할지 알겠나?" 하시길래 그때 눈치를 챘다. 간사님이 대표단 제의를 하시려고 오셨다는 걸. 그렇게 형총 1년을 하고 그 다음

해는 대표순장을 했다. 나 다음으로 대표순장한 애를 내가 DP라고 불렀다. 대표니까. DP는 군무 이탈 체포조를 뜻하며 탈영한 군인들을 잡으러 다니는 군인들을 말한다. 그 친구가 자기 DP 맞다고 했다. 도망친 순원들 다 잡으러 다닐 거라고 덧붙이면서.

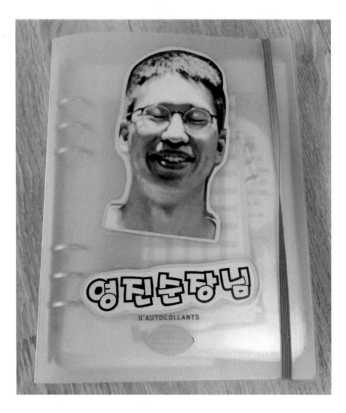

나는 2023 여름수련회를 기점으로 2년 동안 했던 대표단을 내려놓았다. 대표단 교체할 때 캠퍼스 친구들이 준비한 편지들을 받는데 정말 감동이었다. 이런 걸 준비했을 줄이야.

이 친구도 나랑 같은 시기에 다른 캠퍼스 형총 1년 하고 대표순장 1년 했던 친구인데 내가 연임하냐고 물어보니까 단호하게 아니라고 했다.

그때 우리

CCC에서 사진을 찍으러 가면 주로 서면에 있는 그때 우리 사진관에 많이 갔다. 사진관 이름을 참 잘 지은 것 같다. 그때 우리의 순간을 사진으로 남기는 곳이니까. 내가 형총일 때 대표단 사진도 그때 우리 사진관에서 찍었다. 내가 쓴 랩 가사처럼 "동역자들이 원동력이 됐다." 함께 대표단 했던 사람들은 살아가는 원동력, 함께 사역할 수 있는 원동력이 되어주었다. 참 고마웠습니다, 순장님들!!

2021년 여름부터 2022년 여름까지

1년 동안 함께 했던 대표단이다.

왼쪽부터 부대표순장, 자매총무, 대표순장, 형제총무.

짐볼

2022년 여름수련회 레크레이션 할 때였다. 어떤 애가 짐볼로 뭔가를 하는 순서가 있다고 했다. 내가 "짐벌?"이라고 하자 옆에 있던 다른 애가 웃으면서 너무 전공 티 내는 거 아니냐고 했다. 근데 진짜 그렇게 들렸다. 참고로 짐벌은 카메라가 부드러운 무빙을 하게 해주는 장비다.

쌍총

동의대 친구가 교회 청년부에서도 총무고 CCC에서도 총무
여서 쌍총이라고 말하는 게 웃겼다.

드립으로 사역하기

저녁 먹는데 동기가 나한테 말했다.

"순장님 요새 드립으로 사역하시던데요?"

뭔 소린가 했는데 동아리방 달력 만들 때 거기 드립 적어놓은 걸 말하는 것 같았다. 그 친구가 드립으로 사역하는 모습 보기 좋다고 했다.

CCC

다른 캠퍼스에 있는 CCC 친구가 실제로 성적에서 C 세 개를 받아본 적이 있다고 했다. 역시 CCC. 같이 대표단 하던 친구는 사역하면서 4.5라는 성적을 받은 적이 있다. 그걸 보고 내가 당시 대표순장님한테 이렇게 말했다.

"순장님, 이제 성적 낮게 나와도 CCC 핑계 못 대겠네요."

보물찾기

소풍 가서 보물찾기하고 있었는데 간사님이 "어? 보물 찾았
다!"고 하셨다. 그리고 나를 가리키시면서 "여기 있네. 보물.
너가 보물이잖아."라고 하셨다. 간사님, 좀 감동이네요?

밴드

아들 중 한 명이 밴드 공연을 한다고 해서 반창고 밴드를 선물로 줬다. 이건 누가 봐도 웃긴 드립이었는데 그 친구는 별다른 반응이 없었다.

해바라기

아웃닭에서 저녁을 먹었다. 동기가 자기는 한 명만 바라보는
해바라기라고 했다. 그러자 옆에 있던 다른 동기가 말했다.
"요즘은 해바라기가 여기저기 고개를 돌리나 보지?"
이거 듣고 한참을 웃었다.

과제

동기가 자기가 만든 CCC 크리스마스 포스터를 인쇄해서 동아리방에 붙였다. 내가 "와, 진짜 과제급인데?"라고 하니까 걔가 이렇게 말했다.

"에이, 과제였으면 저렇게 열심히 안 했지."

연애에 관하여

CCC에서는 삼말사초라는 말이 있다. 연애는 3학년 말에서 4학년 초에 하라는 말이다. 나는 이걸 너무 잘 지켰다. CCC에 있을 때뿐만이 아니고 태어난 이후부터 지금까지 26년간 솔로의 길을 잘 걸어가고 있다. 그래서 CCC 내에서 순원끼리 연애를 한다거나 순장, 순원이 연애를 하면 오직 안영진만이 돌을 던질 수 있었다. 실제로 돌을 던진 적은 없다. CCC에서 연애 특강만 세 번 들었는데 내가 연애 특강 들으면서 느낀 게 하나 있다. 연애 특강 듣는다고 해서 연애를 할 수 있는 건 아니라는 거다. 어떻게 보면 당연하다. 물론 연애 특강은 엄청 좋았다.

연애 특강 중 한 번은 내가 대표순장일 때 들었다. 나는 그때 맨 앞자리에 앉아 PPT를 넘기고 있었다. 연애 특강 하시는 간사님이 나한테 질문하셨다. "대표순장님 지금 연애하세요?" 나는 아니라고 했고 간사님이 다시 나한테 몇 학년이냐고 물어보셨다. 4학년이라고 하니까 간사님이 한 방 멕이셨다. "어? 그럼 지금 연애하셔야 되는데?" 간사님, 그게 제 맘대로 되는 게 아니지 않습니까 ㅋㅋㅋ 나는 이때까지 모든 사랑이 짝사랑으로 끝났다. 썸 탄 적도 없었다. 썸도 쌍방이어야 썸인데 항상 일방통행이었던 걸 생각하면 씁쓸해진다. 어떤 애들은 내가 드립을 줄이면 여친이 생길 거라고 하던데 과연 사실일까? 캠퍼스 담당이셨던 한천 간사님은 설교 때 한 번씩 안영진이 모태솔로라고 저격하시곤 했다. 나는 당연히 타격은 없었다.

대만 단기선교

나는 동서대 CCC에서 2023년 7월 4일부터 19일까지, 15일간 대만 타이페이로 단기선교를 갔다 왔다. 간사님을 포함해서 총 9명과 함께 대만 땅으로 갔다. 단기선교를 위해 총 170만원의 재정이 필요해서 걱정을 많이 했지만 하나님께서 놀라운 방법으로 재정을 넘치도록 채워주셨다. 사실 재정을 위해서 기도를 하면서 채워주실 걸 믿는다고 말은 했지만 의심이 많았다. 나는 개인적으로 마련할 수 있는 돈은 공모전 상금으로 마련할 계획을 가지고 있었다. 그래서 토스에서 주최한 머니스토리 공모전에 지원했다. 그리고 간사님께는 이 공모전 1등 상금이 200만원인데 1등 하면 단기선교비 걱정없다고 말씀드렸다. 간사님이 이 말을 들으시고는 "하나님이 그렇게 쉽게 마련해주실까?"라고 하셨다. 역시나 공모전은 보기 좋게 떨어졌다. 하나님께 단기선교 재정을 넘치도록 채워달라고 기도를 계속 하고 채워주실 것임을 믿는다고 했지만 사실 의심이 계속 들고 믿음이 흔들렸다.

엄마아빠를 포함해서 여러 사람들이 나의 대만 단기선교 기도편지를 보시고 재정을 후원해주셨다(엄마아빠가 제일 큰 액수의 돈을 후원해주셨다). 대만으로 출국하기 2일 전인 주일, 청년부 목사님께서 교회 주보에 내가 대만 단기선교 간다는 내용을 올려주셨다. 나는 전혀 예상하지 못했다. 청년부 목사님이 기도편지를 카톡으로 보내달라고 하시더니 주보에 관련 내용을 넣으려고 그러셨던 것 같다. 청년부 목사님 덕분에 그날 교회의 많은 성도 분들이 나에게 후원해주셨다. 잘 다녀오라고. 단기선교 재정은 넘치도록 채워졌고 내게 필요한 재정은 물론 단기선교 팀 재정과 아직 재정이 안 채워진 친구들에게 흘러갔다. 하나님이 공모전 상금을 통해 단기선교 재정을 채워주시지 않은 이유는 하나님의 일하심을 더 크게 느끼게 하기 위해서인 것 같다. 하나님은 항상 인간의 생각을 뛰어넘으신다. 정선원 간사님이 말씀하신 대로 우리가 기도하면 하나님이 일하신다.

같이 갔던 자매 순원은 170만원을 자신이 기존에 모아놓았던 돈으로 채우고 그 이후로 후원받는 돈들은 팀 재정과 아직 재정이 안 채워진 친구들에게 다 흘려보냈다. 진짜 대단한 친구라고 생각한다. 그걸 보고 간사님한테 "이 친구는 저보다 더 순장 같네요." 하니까 간사님이 인정하셨다.

단기선교를 가기 하루 전에 팀원들이 모여서 합숙 훈련을 했다. 내가 그 와중에 또 드립을 치니까 한 명이 이렇게 말하면서 한탄했다. "아, 저걸 2주 동안 들어야 돼." 이 친구의 걱정대로 나는 대만에 있는 기간 동안 드립 폭격을 했다. 간사님과 팀원들이 많이 힘들어했을 거다. 생각해 보면 한국에 있을 때는 서로 하루종일 붙어있을 일이 없는데 단기선교는 특수한 상황이라서 팀원들이랑 계속 같이 있게 된다. 내가 드립을 치기에는 최적의 조건이지만 그걸 듣고 있는 사람에게는 최악일 수 있다. 내가 이제 드립을 안 칠 건 아니지만 대만에서 드립 폭격했던 건 이 자리를 빌려 사과한다. 내가 드립을 하도 많이 치니까 한 친구가 이제부터 내가 드립 칠 때마다 세금을 걷겠다고 했다. 하지만 드립이란 게 줄이려고 노력한다고 해서 줄여지는 게 아니었다.

대만 단기선교를 갔던 2주 간의 기간 중 첫째 주는 링요탕 교회에서 10명의 대만 아이들을 대상으로 키즈캠프 사역을 했다.

둘째 주는 타이페이사범대에서 캠퍼스 전도를 하고 거기서 연결된 사람들을 한국인의 밤에 초대했다. 우리 단기선교 팀은 한국인의 밤에서 K-POP 댄스, 노래, 스킷드라마를 했다.

이번 단기선교에서는 내가 사진, 영상 촬영 담당이어서 내가 주로 사진을 찍었다. 기억은 사라져도 사진은 남는다. 단기선교의 순간들을 사진과 영상으로 남길 수 있어서 영광이었고 좋았다. 카메라로 기록을 남기는 건 값진 일이다.

나는 대만 단기선교를 통해 하나님의 살아계심을 느꼈다. 신앙이 바닥을 쳤던 내가 다시 한번 하나님의 일하심을 볼 수 있었다. 대만 단기선교를 위해 많은 분들이 재정을 후원해주셨고 기도해주셨다. 단기선교 가운데 또 많은 섬김이 있었다. 그 섬김들이 참 귀하다. 동서대 CCC과 함께 대만 단기선교를 갔다 올 수 있어서, 좋은 동역자들과 함께할 수 있어서 감사했다.

유 언 장
(Last Will and Testament)

작성인(Testator) : <u>안영진</u>　　　생년월일 _____
주　소(Address) : _____
작성일(Date On) : <u>2023. 07. 03</u>

상기 주소의 상기 작성인 본인은 건강한 정신과 육체를 가지고 있어 온전한 정신과 처리능력과 기억력을 가지고 있으나 불확실한 생명을 염두에 두어 만약의 경우를 대비하여 여기에 나의 유언을 작성하여 공포하고자 아래와 같이 작성한다.

- 아　래 -

제 1 조
본인은 나의 법적 대리인이 나의 사망 후 형편에 닿는 대로 조속히 나의 부채와 장례비용을 지불하기로 작성한다. 본인의 장례는 교회의 질서에 따라 선교지에서 간소하게 시행해 주기 바란다.

제 2 조
　첫 번째로, 이 유언장을 보는 사람들은 드림이 승리한다는 걸 알기 바란다
두 번째로, 내 컴퓨터에 아직 안 친 드림들이 쌓여 있기 때문에 그걸
보고 감동이 있다면 세상 밖으로 꺼내주길 바란다
세 번째로, 내 책장에 여러 일기들이 있기 때문에 심심하면 읽어보길
바란다. 이상.

유언자(Testator) : <u>안영진</u>　　　(날인) <u>안영진</u>

대만으로 출국하기 전날, 혹시 모를 일에 대비해서 유언장을 썼다. 태어나서 유언장 써본 건 처음이었다.

대만 지하철에서 음식물을 먹으면 엄청난 벌금이 부과된다.

나는 음료를 들고 탔는데 나도 모르는 사이에 마시게 될까

봐 폰으로 입을 가렸다.

대만 현지 대학생들한테 받은 선물들이다. 멀리서 온 우리를

챙겨주는 마음이 참 고마웠다.

대만에서 드리는 마지막 주일 예배 때, 링요탕 교회에서 단기선교 팀에게 선물들이 든 종이가방을 한 개씩 주셨다. 종이가방 안에는 먹을 것들과 홍빠오라고 불리는 빨간 봉투가 있었다. 홍빠오에는 돈이 들어 있었다. 챙겨주셔서 너무 감사했다. 우리는 대만 땅에서 참 많은 사랑을 받고 돌아왔다.

붕어빵 전도

CCC에서는 본부에서 자체 제작한 붕어빵 기계로 붕어빵 전도를 한다. 캠퍼스에서 붕어빵을 굽는 시간 동안 기다리는 학생들에게 THE FOUR라는 전도지를 읽어주고 붕어빵을 나눠주는 것이다. 한 번은 '고기 굽는 남자'에서 알바하는 어떤 친구가 붕어빵 전도에 온 적이 있다. 그 친구가 붕어빵을 굽자 간사님이 이렇게 말하셨다.

"이제 너는 고기 굽는 남자에서 물고기 굽는 남자로 바뀌었네."

안영진이 열심히 붕어빵을 굽고 있다.

그런데 잘 못 구워서 간사님에 의해 해고됐다.

"저는 붕어빵이 아닙니다."

안영진이 붕어빵 구워지길 기다리는 학생에게 전도지를 읽어주고 있다. 나는 전도가 참 쉽지 않았다. CCC 교재인 LTC 초급에 보면 "성공적인 전도는 성령의 능력 안에서 오직 그리스도 예수만을 전하고 그 결과는 하나님께 맡기는 것"이라고 나온다. 그래서 더욱 더 하나님만 의지해야 하는 게 전도다.

팥 붕어빵을 굽고 있다.

붕어빵 전도는 늘 학생들이 채플 듣는 수요일 오전에 대강당 입구 앞에서 했다. 붕어빵 전도는 할 때마다 큰 인기를 끌었다. 구운 붕어빵 개수에 비해 CCC에 연결된 사람들은 적지만 우리는 씨를 뿌리고 거두시는 분은 하나님이시기에 우리가 외치는 진리는 땅에 떨어지지 않을 것이다.

감사일기

나는 CCC를 통해 감사일기를 쓰게 됐다. 참 잘된 일이다. 2022년부터는 매일 빠짐없이 감사일기를 쓰고 있으니 말이다. 감사제목을 CCC 지체들과 카톡 게시판으로 함께 나누는 게 좋았다.

📅 2023년 12월 19일 화요일 >

안영진이 돼지국밥 먹은 12월 19일 감사일기

📄 글 확인하기   ›

오후 8:52

📅 2023년 12월 20일 수요일 >

안영진이 붕어빵 먹은 12월 20일 감사일기

📄 글 확인하기   ›

오후 9:14

📅 2023년 12월 21일 목요일 >

안영진이 오꾸닭 먹은 12월 21일 감사일기

📄 글 확인하기   ›

오후 9:41

📅 2023년 12월 22일 금요일 >

안영진이 피자 먹은 12월 22일 감사일기

📄 글 확인하기   ›

오후 8:54

나는 감사일기 제목을 좀 재밌게 하고 싶어서 여러 시도를 했는데 한때 안영진 먹방 시리즈를 했었다.

3장

나는 안영진이다

에스컬레이터

학교 도서관에 에스컬레이터를 타고 올라가는데 몸이 상당히 흔들렸다. 에스컬레이터 위에 서서 안 흔들리려고 하면 더 흔들리고 몸을 가누기 쉽지 않다. 그런데 에스컬레이터 진동과 같이 흔들리면 오히려 편하다. 때로는 힘을 빼고 주위의 흐름에 몸을 맡겨야 될 때가 있다(아니 이건 내가 생각해도 멋있는 말인데?).

학교 도서관으로 올라가는 에skrrrrr레이터다.

결국 애가 skrrrr 하면 에스컬레이터다.

*오타 아니고 추임새니까 오해 금지

홋코리한

1학년 2학기에 일본 교환 학생들과 교류할 기회가 있었다. 한 학기 동안 같은 수업을 계속 들었다. 쉬는 시간에 일본 여자애들이 폰을 보고 나를 보면서 웃길래 내가 무슨 일이냐고 물었다. 보니까 일본 코미디언인 홋코리한과 내가 닮아서 그런 거였다. 사진을 봤는데 진짜 닮긴 했다. 그런데 다시 보니까 안경 뿔테 때문에 닮아 보이는 거지 실제로 그렇게 닮진 않았다.

레이나 편지

학기 말이 되고 일본 친구들이 한국을 떠날 때가 되었다. 일본 친구 중 한 명이 한국 애들에게 편지를 한 장씩 써줬다. 내가 받은 편지에는 이렇게 써져 있었다.

"4개월 동안 고마워. 많이 도와줘서 고마워. 재미없는 농담도 많이 있었지만 재밌었어. 홋코리한은 재미있었어 ㅋㅋㅋ"
-레이나

일본 친구가 뼈를 확실히 때리네.

영진

4개월 동안 고마워

많이 도와줘서 고마워

재미없는 농담도 많이
있었지만 재밌었어.

ㅎㅋㄹ랑은 재밌있었어
ㅋㅋㅋ

레이나

일단 뭐라도 던져봐야 한다

드립을 치면서 느낀 점들이 몇 가지 있다. 그 중 한 가지는, 드립 칠 때 쫄면 안된다는 것이다. 드립은 일단 던지고 봐야 한다. 어떤 드립이 터질지는 아무도 모른다. 터질 것 같은 드립이 안 터지기도 하고, 안 터질 것 같은 드립이 터지기도 한다. 일단 던져봐야 하는 건 드립만 그런 게 아니다. 내가 오래 산 건 아니지만 경험상 기회는 뭐라도 던졌을 때 찾아왔다. 그래서 나는 계속 던졌다. 여기서 나의 드립 타율 얘기를 안 꺼낼 수가 없다. 나는 사실 드립 타율이 그렇게 높지가 않다. 100개 던지면 1개 터지는 정도? 터무니없는 수치다. 이런 초라한 기록을 가지고 드립친다고 말하고 다닐 수 있는 이유는 얼굴에 철판을 깐 것도 있지만 어찌 됐든 '계속' 드립을 치고 있기 때문이다.

공모전 할 때도 계속 던져보는 게 필요하다. 공모전은 당연

124

히 수상할 수 있겠다고 생각한 게 수상 못 할 때가 있고 반대로 수상 못 할 것 같은데 수상할 때가 있다. 2021년 9월에 학과 형이랑 둘이서 한옥공모전에 도전했을 때가 생각난다. 처음에 특별히 생각나는 기획이 없었는데 내가 랩 하는 걸 좋아하니까 한옥에서 랩 하는 영상을 찍기로 했다. 그런데 영상을 만들고 나서 보니 그렇게 만족할 만한 퀼리티가 아니었다. 녹음한 음원 음질도 별로였고, 촬영한 영상본 중에서 초점이 나간 것도 있었다. 일단 출품하는 것에 의의를 두고 학과 형이랑 나는 수상에 대한 기대를 버렸다. 그 후 학교 과제에 치여서 한옥공모전에 대해서 잠깐 잊고 있었다. 2개월 뒤, 나는 폰에서 습관적으로 네이버 메일을 들어갔다가 폰을 떨어뜨릴 뻔했다. 한옥공모전 주최 측에서 우리가 금상 수상했다는 메일이 하나 와있었다. 참고로 대상 바로 밑에 있는 상이 금상이다. 믿기지가 않았다. 바로 학과 형한테 연락해서 우리 금상이라고 했더니 형이 구라치지 말라고 했던 게 생각난다. 학과 형이랑 나는 계속 "아니, 이게 상을 받는다고?" 하면서 의아해했다. 공모전에 참여하는 건 밑져야 본전이다. 던져서 수상하면 경력에 남는 거고 수상 못 해도 경험이 되는 거다. 70번 넘게 공모전을 수상한, 공모전의 전설 태민이형은 공모전 수상 못하더라도 나중에 취업할 때 "이런 영상도 만들어봤다."고 보여줄 수 있는 포트폴리오가 된다고 했다.

뭔가를 던질 때는 적당한 김칫국을 마실 필요가 있다. 실행하는 데 있어서 원동력이 되기 때문이다. 너무 많이 마시면 안 된다. 특히 공모전 출품할 때가 그렇다. 적당한 김칫국은 동기 부여가 되지만 과도한 김칫국은 망상이다. 독이 될 수 있다. 하지만 내가 김칫국 적당히 마시는 걸 제일 못한다. 김칫국 많이 마셔보는 것도 경험이다. 김칫국을 많이 마셔봐야 다음부터는 어떤 김칫국을 마시면 안 되는지 알게 된다.

내 머릿속에는 아직 던지지 않은 것들이 너무 많다. 다르게 말하면 도전하고 싶은 것들이 많다. 다들 꿈은 하나씩 품고 살아가지 않나. 그래서 뭐라도 던져봤으면 좋겠다. 그게 드립이든, 공모전이든, 고백이든 뭐든 간에.

2021 한옥공모전 심사위원장이신 국립안동대학교 정연상 교수님은 우리가 수상한 영상에 대해 심사평을 이렇게 말하셨다.

"금상 〈한옥의 멋〉은 래퍼가 랩의 리듬과 가사로 한옥의 구조와 멋스러움을 소개하는 뮤직비디오 형식의 영상이며, 랩과 한옥이라는 이질적인 두 요소를 결합한 실험성과 재미로 한옥의 거리감을 좁혀주는 흥미로운 작품이었습니다."

내가 드립으로 특강을 하다니

학교 도서관에서 '수요특강 사람책 읽기'라는 프로그램을 진행한 적이 있다. 사람들을 대상으로 해서 자신이 원하는 주제로 특강을 할 수 있는 프로그램이었다. 나는 이 공지를 보고 바로 드립으로 특강을 하고 싶다는 마음이 들었다. 신청서에는 주제와 특강 내용을 적는 칸이 있었다. 주제는 "드립한 번 쳐봅시다."라고 했고 특강 내용에는 '내가 지금까지 어떻게 드립을 쳤고, 어떻게 드립을 쌓아가는지에 대한 내용을 나누고자 한다.'라고 썼다. 기타 이력사항에는 드립 유튜브 채널 운영하고 있는 것과 드립과 관련된 책을 출판한 걸 썼다. 이걸 보고 연락을 주실 줄은 몰랐는데 학교 도서관에서 연락을 주셔서 드립 특강을 하게 되었다. 안영진이 드립으로 특강을 하는 날이 오다니. 오래 살고 볼 일이다.

드립 특강에는 총 29명의 사람들이 왔는데 그 중 13명이

CCC 사람들이었다. 특강 마치고 내가 질문 있냐고 물었을 때, 정적이 흐르다가 CCC 사람들이 많이 질문해줘서 고마웠다. 내가 뻘쭘할까 봐 질문해주는 센스가 대단하다.

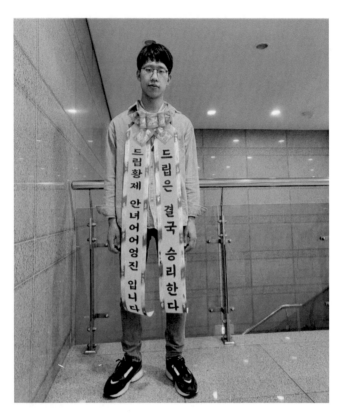

CCC에서 인간 화환을 해줬는데 감동이었다.

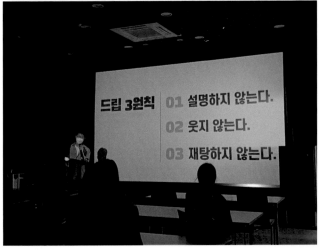

드립 특강은 내가 드립에 대한 얘기를 합법적으로 할 수 있
는 시간이었다. 평소 같으면 사람들은 드립을 가만히 들어주
지 않는다.

안영진, 신문에 나오다

내가 신문에 나왔다. 아, 물론 학교 신문이다. 내가 드립 특강한 걸 보고 학교 신문사에서 인터뷰 요청을 해서 하게 되었다. 인터뷰를 담당했던 학생 기자님은 나한테 내 인터뷰가 들어간 신문을 주시면서 포스트잇에 짧게 쪽지를 남겨주셨다.

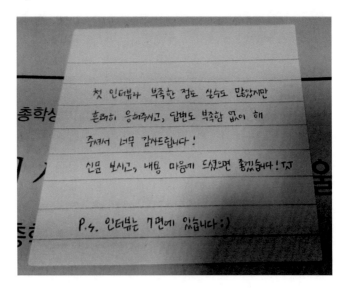

■ 학생 인터뷰─방송영상학과 3학년 안영진 학생

민석 도서관 사람책 읽기 1회차 주인공

방송영상학과 3학년 안영진 학생

▶안영진 학생

▶안영진 학생의 책, 군대에서 세계일주

민석 도서관 사람책 읽기 1회차 주인공으로 우리는 이때까지 머릿관의 책을 자신이 직접 출판했다는 한 학생의 이야기를 접했다.

동서대학교에서만 볼 수 있는 독창적이고, 참신하던 많은 학생들 가운데 우리 주변에는 다양한 도전을 거침없이 하는 학생들을 볼 수 있었다. 그 중에서도 자신이 겪은 경험과 배움을 토대로 자신만의 책을 써 내려가고, 여러 권의 책을 출판에 선공한 안영진 학생을 인터뷰에 만났다.

Q. 안녕하세요. 먼저 자기소개 부탁드립니다.

A. 안녕하세요. 저는 동서대학교 방송영상학과에 재학 중인 18학번 안영진입니다.

Q. 처음 책을 쓰시게 된 계기가 무엇인가요?

A. 저는 해군 출신으로 해군 생활 4학년 때 휴인일을 위해서 항해 실습을 나가게 되었습니다. 그 배는 12개국 14개 항지를 가는 배인데, 그 긴 시간 동안 그 배 안에서 있었던 훈련과 제가 경험했던 일들을 책으로 써보면 재밌을 것 같다는 생각을 시작으로 책을 쓰게 되었습니다.

Q. 책을 준비하는 과정에서 어려움이 있었을 텐데 어떤 어려움을 겪으셨나요?

A. 저는 책을 준비하면서 크게 3가지 어려운 부분이 있었습니다. 첫 번째는 글을 쓴다는 것부터가 어려움을 느꼈고, 두 번째는 책을 여러용을 객관적 책의 디자인 부분입니다. 마지막으로 세 번째는 책의 교정, 교열 부분에서 다 일일이 검검해야 하는 것이 어려웠습니다.

Q. 그렇다면 어려움을 극복할 수 있었던 방법은 무엇이었나요?

A. 책의 디자인 부분은 정말 난감이었습니다. 제가 도전했던 방법으로는 처음 책 편집 프로그램이 어도비 인디자인에서 배워보았습니다. 그러나 디자인에서 막히면서 또다시 원점으로 돌아와있었습니다. 다음으로 찾은 방법은 바로 100개 정도 양이 담겨있는 템플릿을 75000원에 구입하여 본문, 목차, 표지의 템플릿을 빌려서 사용하며 문제를 해결했습니다. 마지막으로 책의 교정, 교열 부분은 저의 가족인 부모님과 함께써 부탁해서 피드백을 받으며 해결했습니다.

Q. 출판하신 책이 꽤 많아 보입니다. 출판하신 자신의 책 중 가장 애정 하는 책과 그 이유가 궁금합니다.

A. 제가 가장 애정 하는 책은 네 번째로 낸 <우당탕탕 남고고입니다. 이 책은 제가 장원 났고 다녔 때의 얘기인데 그 때의 추억들이 담겨 있어서 제가 좋아합니다. 제가 고등학교 3년 동안 찍었던 친구들 사진, 급식 사진, 학교 사진들이 있고 저와 친구들의 꽤끼 충만한 이야기들이 많습니다. 한국 교육에 대해 불만이 많았던 제가 학교 시스템에 대해 날카롭게 비판한 부분도 있어서 제가 가장 애정하는 책입니다.

Q. 애정 하시는 우당탕탕 남고고는 책을 어떤 사람에게 추천하고 싶으신가요?

A. 현재 고등학생인 분들, 고3고 고등학생이었던 사람들에게 추천해 주고 싶습니다. 모두 추억이 담긴 것은 공유하는 그때의 감정이 있기 때문입니다. 급식, 수업, 야자 같은 거 말입니다. 모두가 경험하는 건 아니지만 대부분의 고등학생들이 경험했던 것들이라고 생각합니다. 이 책을 읽으시는 분들이 고등학교 때의 추억을 떠올린다면 좋겠습니다. 고3 추억을 떠올린다면 한 번 읽어보시면 좋겠습니다.

Q. 앞으로도 책을 출판하실 계획이 있는지 궁금합니다.

A. 네, 있습니다. 언제 책을 다시 출판할지는 모르겠지만 현재 계획되고 있는 것으로는 동서대학교를 졸업하고 다룰 때 동서대학교에 관한 책과 또 제가 드린 지는 것을 동서에서 졸업하고 관한 책을 몇 권 책을 계획하고 있습니다.

Q. 요즘 책을 출판하고자 하는 학생들이 많다면 조언과 몸말 부탁드립니다.

A. 제가 뛰어났고 알수드림만한 건 별로 없지만 그래도 일단 책을 쓰긴 쉽지가 않습니다. 책을 쓰는 것으로는 동서대학교를 졸업할 때동서대학교에 조언을 드리자면 먼저 글 쓰는 것에 그냥 도전을 해보시기 바랍니다. 또 요즘은 1인 출판이 많고, ISBN이라고 책 분량이 최소 50페이지 정도가 되면 도서번호를 등록할 수 있고, 부크크 라는 플랫폼을 자신이 관심만 할 수 있으면 책이 출판이 가능합니다. 누구나 책을 쓰고 싶은 의지가 있으신 분들이라면 도전에 보시길 바랍니다.

Q. 마지막으로 자신의 책을 읽은 독자들에게 한마디 부탁드립니다.

A. 먼저 저의 책을 읽어주신 모든 분들에게 감사드립니다. 제가 다녔던 교회 분들을 포함한 저의 주변 지인들이나 책에 대한 감상평을 말해주실 때가 있는데 그럴 때 감사한 마음이 듭니다. 또 저 책을 온라인으로만 구입할 수 있는데 한 번씩 제 책이 구매가 됐다는 것을 보면 누가 샀을까 생각하며 고마운 마음이 듭니다. 이 자리를 빌려 저의 책을 관심 있게 읽어주신 분들에게 감사 인사를 드립니다.

수습기자

떠나는 그대에게

졸업하기 직전에 대학생 커뮤니티인 에브리타임에 이 글을 썼다. 마지막 인사는 해야 하니까. 그리고 졸업 후 에브리타임을 삭제했다.

익명
02/13 21:27

우리 참

우리 참 오래 만났다 그치?
자그마치 6년이야.
하지만 이제는 이별을 할 때가 된 것 같아.
나 진짜 고민 많이 했거든.
그동안 정말 고마웠어.
잘 지냈으면 좋겠다.

-졸업생이 에브리타임에게

👍 2 💬 1 ☆ 0

👍 공감   ☆ 스크랩

 익명1

ㅇ흠..냐.으ㄴ냠 으잉.. 뭐야 아직도 안갔어?
02/14 04:13

나가는 말

4년 동안 대학을 다니면서 참 감사한 순간들이 많았다. 학교 다니는 동안 이끌어주신 방송영상학과 교수님들께 감사드린다. 그리고 좋은 동역자들인 CCC 순장, 순원들과 믿음의 멘토가 되어주셨던 정한천 간사님께 감사드린다. CCC 공동체는 나에게 큰 힘이 되어주었다. 가장 찬란했던 시절, 제일 빛났던 순간을 CCC 동역자들과 함께할 수 있어서 영광이었다. 이들이 빛났기 때문에 나도 함께 빛날 수 있었다. 인터뷰에 흔쾌히 응해준 태민이형에게도 감사드린다. 태민이형은 나에게 많은 동기부여를 준 선배다. 비싼 학비에 큰 보탬이 돼준 성산한빛교회와 한국장학재단에게 감사드린다. 그리고 나에 대한 지원을 아끼지 않으신 엄마, 아빠와 친척 가족들께 감사드린다.

졸업식 하기 이틀 전, 수요예배 가서 기도하는데 졸업까지 함께하신 하나님을 생각하니 눈물이 터져나왔다. 그래서 다른 기도는 못하고 거의 울기만 하다 나왔다. 이때까지 하나님께서 이끄시고 역사하셨던 순간들이 생각났다. 그래서 마지막으로 내 세 번째 앨범의 타이틀 곡 〈졸업이라니〉의 가사로 마무리하려고 한다.

"은혜로운 순간들이었지 나의 졸업까지 주님 함께하셨으니."